P9-BJG-403

《我的第一本名人传记漫画书》系列，
在美国、韩国、中国大陆以及台湾等地出版以来，
受到广泛好评！

畅销书《好妈妈胜过好老师》作者 尹建莉：这是一套培养孩子阅读兴趣的好书，也是一套保护孩子梦想和创造力的好书！

中国绕月探测二期工程"嫦娥二号"卫星总指挥 张廷新：人在整个太空中是非常渺小的个体，但是一个人的思想却可以是浩瀚无垠的，可以思考万物的起源，可以探索宇宙的奥秘！

中国绕月探测二期工程"嫦娥二号"卫星总设计师 黄江川：我小时候最渴望的就是这样一套书，可以近距离地接触自己的偶像，现在这个愿望终于在我儿子身上实现了。

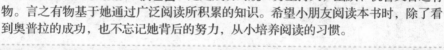

中国台湾作家及节目主持人 吴淡如：奥普拉是成功的女企业家，她很有才华，影响社会，也回馈社会。与恶劣的环境搏斗，在不可能中创造可能，是最激励人心的故事。

中国台北市立图书馆馆长 洪世昌：她是成功的脱口秀主持人，幽默、机智又言之有物。言之有物基于她通过广泛阅读所积累的知识。希望小朋友阅读本书时，除了看到奥普拉的成功，也不忘记她背后的努力，从小培养阅读的习惯。

中国空间技术研究院科研人员 赵臻：爱迪生是所有孩子的典范。他让功课平平的孩子知道，只要肯尝试、不怕难，将来一样充满希望。他让有天分的孩子明白，天才也要有99%的努力，才能开创成功的未来。

中国台北艺术大学校长 朱宗庆：当一个小孩儿以无比的好奇心来实验，藉由"拆解"来"理解"这个世界，请给他掌声！

著名电影导演 周星驰：我看斯皮尔伯格的《E.T.》时还在电视训练班，直到现在我仍记得当时所受到的感动和震撼——原来科幻片可以拍成这样！可以这样说，正因为斯皮尔伯格，我才立志要当导演。

中国台北教育大学儿童英语教育研究所所长 张湘君：迪士尼肯定自己的想法且勇于实践，即使只是涂鸦，也能成就大事业。本书让孩子知道梦想与现实之间的距离是有办法拉近的。

中国台湾政治大学国际关系研究中心第一所主任 郑端耀：用生动的漫画呈现林肯的奋斗过程，寓教于乐，是亲子共读的好书。通过林肯的故事，让孩子知道在逆境中仍可实践理想，心怀感恩。

中国台湾辅仁大学历史系教授 张四德：希望小朋友学习林肯：敞开心怀，努力学习，提升自己的见识；敞开心怀，付出关怀，世界更美好！

看漫画，读故事，学语文，

 本书阅读指南

Hi~大家好，我是迪士尼！

直观概括 一目了然

在讲述每个名人的成长故事之前，"名人大脚印"会告诉大家这个名人的基本概况，为的是让孩子们在读故事之前对这个名人有一个整体的概念，相当于跟这个名人初次见面。

深入思考 启发阅读

每章的开篇，都设有"阅读小脚印"，每个小脚印里都有几个问题，带着这些问题去阅读这一章的故事，可以让孩子更好地理解故事的主要内容。有了这些小脚印，家长们也可以参与到阅读中来，引导孩子阅读。

阅读小脚印

阅读小脚印
1. 沃尔特的父亲为什么反对他以画画为职业？
2. 沃尔特和乌布是怎么认识的？
3. 沃尔特制作的第一部影片赚了多少钱？
4. 沃尔特后来对什么仪器特别感兴趣？

孩子课外阅读的最佳选择！

他的小故事，我的大道理

沃尔特·迪士尼小的时候和许多小男孩儿一样，生活在一个大家庭中。因为年龄很小，所以当全家都在农场干活儿时，沃尔特只做些喂鸭子、看小猪的轻巧活儿。他有许多时间同小动物待在一起，也能仔细地观察小动物的一举一动。他观察这些小动物是为了能够把他们画下来。家里的条件很艰苦，所以沃尔特只能寻找一切机会，在地上、木板上画自己喜欢的小动物。每次他画这些小动物时，都觉得很快乐。

找到自己最喜欢的事情，才能发挥自己的特长，让自己变成与众不同的人。

积累语文素材
学习名人品质

每章的结束都设有"他的小故事，我的大道理"，每个小故事都可以成为孩子们的写作素材，每个大道理都可以帮助孩子更好地学习名人优秀的品质。

解决问题
助力成长

每个人的成长过程中都会遇到大大小小的问题，我们该如何解决？这个环节旨在培养孩子解决实际问题的能力。这里列举了很多名人遇到的问题，通过他们遇到问题时的解决方式来引导孩子思考。

如果我是他，我会怎么办？

沃尔特耗费了大量的资金来拍摄动画长片《白雪公主》，可却遭到了许多人的讥讽与嘲笑，甚至还有一些人打赌，说他的这个制作一定赔钱。你有没有遭到过其他人的嘲笑和讥讽，这个时候你都是怎么做的呢？

更多关于《我的第一本名人传记漫画书》（第一辑）的精彩互动请见本书的互动园地。

　　如何让自己的梦想变为现实？《我的第一本名人传记漫画书》系列丛书会给大家提供答案。这些名人小时候并没有富裕的家境，也不具备超能力。他们就是和我们一样平凡的人，不，也许他们的成长环境比我们更加艰苦和恶劣。即便如此，他们也没有忘记为自己的未来酝酿"梦想"，并为之付出了坚持不懈的努力。真诚希望阅读这套系列丛书的小朋友们，都能拥有一个属于自己的"梦想"。

韩国小学社会课教育研究会

　　《我的第一本名人传记漫画书》系列丛书，一改过去一代所读过的那种冗长、教条的风格，采取了孩子们喜闻乐见的形式，容易让他们产生亲近感，更容易引发孩子学习和思考。因此，我向家长和孩子们积极推荐这套书。

韩国教育心理学专家 宋仁燮

　　您了解孩子的梦想吗？您是否与您的孩子谈起过他们的梦想？令人惋惜的是，现在的家长更注重孩子的学习成绩，而忽视孩子对未来的梦想。他们总是认为学习成绩不高，无论什么样的梦想都不可能得以实现。

　　看了这套书，您将意识到保护好孩子的梦想有多么重要。有了梦想，不需要强迫孩子努力，他就能带着激情去学习。《我的第一本名人传记漫画书》会成为父母家教的好帮手。

（株）非常教育学习研究所所长 朴在元

　　一套好书对孩子一生的影响不可估量。

中国台湾"教育部长" 吴清基

播撒欢乐的动画大师
沃尔特·迪士尼

（韩）李洙正 著　权赫律等 译
（韩）青飞工作室 绘

吉林出版集团有限责任公司

图书在版编目（CIP）数据

播撒欢乐的动画大师沃尔特·迪士尼 /（韩）李洙正著；（韩）青飞工作室绘；权赫律等译.
-- 长春：吉林出版集团有限责任公司,2012.6

（我的第一本名人传记漫画书）书名原文：Who? Walt Disney

ISBN 978-7-5463-9016-1

Ⅰ.①播… Ⅱ.①李… ②青… ③权… Ⅲ.①迪士尼，W.E.（1901～1966）—传记—通俗读物
Ⅳ.①K837.125.78-49

中国版本图书馆CIP数据核字（2012）第061459号

WHO? WALT DISNEY

Copyright © 2010 Dasan Books Co., Ltd.

All rights reserved.

Original Korean edition was published by Dasan Books Co., Ltd.

Simplified Chinese language edition © 2012 by Jilin Publishing Group Co., Ltd.

Simplified Chinese edition is published by arrangement with Dasan Books Co., Ltd.

版权所有 不准翻印

播撒欢乐的动画大师沃尔特·迪士尼

著　　者：（韩）李洙正
绘　　者：（韩）青飞工作室
译　　者：权赫律　等
创意设计：范中华　陈　曲
发行筹划：耿　宏　孟祥北
项目负责人：陈　曲
责任编辑：陈　曲　金　昊
出　　版：吉林出版集团有限责任公司
发　　行：吉林出版集团社科图书有限公司
电　　话：0431-86012701
印　　刷：北京威远印刷厂
开　　本：570mm×1020mm　1/12
印　　张：14
版　　次：2012年6月第1版
印　　次：2015年6月第2次印刷
书　　号：ISBN 978-7-5463-9016-1
定　　价：28.00元

如发现印装质量问题，影响阅读，请与印刷厂联系调换。

名人大脚印

沃尔特·迪士尼是20世纪最著名的动画大师，也是推动整个动画事业向前发展的伟大人物。在他的努力下，大家喜爱的动画片也终于有机会进入到奥斯卡奖的角逐了。荧幕之外，他还把我们梦寐以求的动画王国搬入了现实世界，建立了"迪士尼乐园"这种新形式的主题乐园，让每个怀有纯真梦想的大朋友、小朋友都能忘记烦恼，感受美好的童年。

他与动画片

沃尔特·迪士尼率领他的团队制作了上百部优秀的动画片，包括《三只小猪》《白雪公主》和《米老鼠与唐老鸭》等。这些动画片幽默有趣，还表达了美好的主题，让小朋友们学习那些可爱的主人公的正直、勇敢、善良。米老鼠、匹诺曹、小熊维尼这些可爱的动画形象伴随一代又一代人度过了美好的童年！

他与迪士尼乐园

迪士尼乐园为全世界的小朋友提供了一个欢乐的场所，在这里，所有的人都可以和装扮成漂亮的动画形象的人物合影留念哦！

在第一座迪士尼乐园开放的前6个月里，全世界有300万人前来游玩，在来访的人中还有来自世界各国的11位国王、王后，24位州政府的首脑和27位王子、公主！要知道，真的王子和公主也是很少走出王宫的！

他与迪士尼公司

沃尔特·迪士尼与哥哥洛伊一手创办了迪士尼公司。后来，迪士尼公司不仅制作出品了小朋友耳熟能详的《花木兰》《海底总动员》《人猿泰山》等动画片，还参与制作了《歌舞青春》《加勒比海盗》等优秀的真人电影。2006年，迪士尼公司收购了乔布斯创立的皮克斯公司。迪士尼公司的理念就是："将欢乐撒满人间"。

 目 录

用地当画纸的日子
1

喜欢漫画的小报童
23

动画片的开拓者
43

成功与失败交替的日子
65

米老鼠诞生
87

获得奥斯卡大奖
107

我们的迪士尼乐园
125

附 录
144

互动园地
146

第一章

用地当画纸的日子

沃尔特·迪士尼生于1901年12月5日。他爸爸叫伊利亚斯·迪士尼，妈妈叫弗罗拉·考尔·迪士尼。沃尔特是家里最小的儿子，他还有三个哥哥。

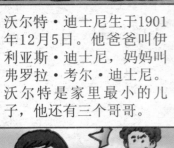

他们一家生活在芝加哥，日子过得并不富裕。两年以后，沃尔特又多了一个妹妹。他的父母为了减少家里的开销，不得不搬到密苏里州郊区玛瑟琳镇的仙鹤农场。

在农场里，他们自己开荒种地，养鸡养鸭，过上了自给自足的生活。

妈妈！

沃尔特的妈妈美丽善良，精心照顾着兄妹几个。

看你，吃饭都不知道回来，还要哥哥叫你！

快点儿吃，今天还有不少活儿等着你们干呢！

好的，爸爸。

沃尔特的爸爸为了培养他们的责任感，对他们四个兄弟非常严厉，要求他们必须干活儿。在这个家庭里，零用钱都是孩子们自己劳动赚来的。

爸爸的家规很严，而且没有讨价还价的余地。大哥赫伯特和二哥雷蒙德不得不干家里最重最累的活儿。雷蒙德对父亲的意见很大，却又不敢说出来。沃尔特年龄小，所以只干一些轻巧的活儿。

看着我干什么？
马上干活儿！

在父亲的高压下，
兄弟们很不开心。

雷蒙德，
你能挺住吗？

我浑身疼，
恐怕是发烧了。

我试着和爸爸
说说，让你回
家休息吧。

洛伊发现了沃尔特的画画天赋，他努力给弟弟创造学习绘画的条件，甚至用一生的关注来支持和鼓励沃尔特。

沃尔特，你去旁边玩一会儿吧。

啊？

爸爸现在不在，你可以去画画啊！

可是……不把这里清理好，爸爸会骂的。

别担心，有我呢！

洛伊，你真好！

在洛伊的帮助下，沃尔特有了更多的时间去画他想画的东西。

鸡、鸭、猪、牛都画过了，还有什么可以画的新东西？

这是什么？

黑黑的，黏黏的……

是画画的颜料吧！

既然您这么坚持，那我就不客气啦！

以后或许还要找你帮忙画呢！

第一次拿到画画的酬劳，沃尔特别提多高兴了。从此以后，他一有空就替人画画，赚些小钱儿。

洛伊，你没有白帮我干活儿！我能随心所欲地画画，还可以赚钱呢！

是啊，我弟弟将来肯定是大画家！

从此，沃尔特经常能够梦见自己成为了有名的大画家。

有一天夜里，干完活儿的赫伯特和雷蒙德抛下父母和弟弟妹妹离家出走了。

我们走了，家里就剩下洛伊和沃尔特了。

他们还小，没事儿。

就是因为他们还小，我才怕父亲为难他们。

唉，我们怎么也得先顾自己啊！走吧！

大哥和二哥一起离家出走了，父亲气愤之下开始酗酒。

哼！这两个家伙！

我辛辛苦苦支撑这个家，还不都是为了他们？他们居然还往外跑！出去吧！永远别回来了！非要吃了苦头才明白还是在家好吗？

别喝了，亲爱的，酒可不是什么好东西！

别管我！要不是你把孩子们教坏了，他们怎么会出走？

都是我不好，都是我的错。亲爱的，够了。

别管我！

孩子们，原谅你们的爸爸，他也很不容易！

沃尔特的爸爸的确非常不容易，那一年，他们遭遇了百年不遇的大旱天气，沃尔特家的农场颗粒无收。沃尔特的爸爸每天都喝得酩酊大醉。

相当长一段时间，小沃尔特都害怕父亲会在夜里突然闯进来痛斥他们。

他的小故事，我的大道理

　　沃尔特·迪士尼小的时候和许多小男孩儿一样，生活在一个大家庭中。因为年龄很小，所以当全家人都在农场干活儿时，沃尔特只做些喂鸭子、看小猪的轻巧活儿。他有许多时间同小动物待在一起，也能仔细地观察小动物的一举一动。他观察这些小动物是为了能够把他们画下来。家里的条件很艰苦，所以沃尔特只能寻找一切机会，在地上、木板上画自己喜欢的小动物。每次他画这些小动物时，都觉得很快乐。

　　找到自己最喜欢的事情，才能发挥自己的特长，让自己变成与众不同的人。

如果我是他，我会怎么办？

　　沃尔特用无法清除的焦油在别人家的马厩上画画，马厩的主人非常生气，准备去找沃尔特的父母。怕挨骂的沃尔特灵机一动，立刻在马厩上将图画补充完整，竟然成了一幅非常漂亮的"壁画"，顺利地化解了这场风波。如果你遇到了这种情况，你会怎么做呢？

如果我是他……

第二章

喜欢漫画的小报童

阅读小脚印

1. 沃尔特的父亲为什么带着全家离开农场？
2. 沃尔特在课堂上画了什么动物？
3. 沃特和沃尔特都喜欢的那本书叫什么名字？
4. 沃尔特是怎么样按照洛伊的话保护自己的？

种地变得越来越难，沃尔特的父亲只好卖了土地，带着全家搬到了堪萨斯市。

父亲开始做报纸生意，沃尔特也如愿地上学了。

我回来了！

找不到合适的人去送报，这是一个非常棘手的问题。

是啊，这种工作就是付再高的工资也没人愿意干。

爸爸，让我试试吧。

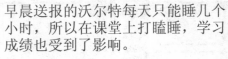
早晨送报的沃尔特每天只能睡几个小时，所以在课堂上打瞌睡，学习成绩也受到了影响。

您的报纸！

哈哈哈哈！

这报纸都送到课堂上来了！

哈哈哈哈！

沃尔特除了画画之外，还喜欢读书，一有空就泡在图书馆里阅读《吉米·戴尔的冒险》这类书，有的时候他还读一些马克·吐温、狄更斯的作品。

你又在看吉米·戴尔？

是啊。

看那么多遍，你都快背下来了吧？

你不是也喜欢吉米·戴尔吗？

你怎么知道？

只要我在图书馆的架子上找不到这本书，它就一定在你那儿。

哈哈哈！

志趣相投的沃尔特和沃特立刻成了好朋友。他们每天下课后最大的乐趣就是到沃特家排演短剧。

我演卓别林，像吧？

不不不！
我才像，看我的！

沃尔特很喜欢表演，在那段时间里，他的理想就是当一个演员。他特别崇拜卓别林，喜欢模仿他的一举一动和穿着打扮。后来在迪士尼的作品中，我们能看到很多以卓别林为原型的卡通形象，这大概是因为幽默、快乐是两位大师的本质特点吧。

不对！你这个地方不像！看我示范。

父亲发现沃尔特不去送报，大发雷霆。

沃尔特，不要害怕，勇敢地面对爸爸。

不行，我办不到，我好害怕。

别逃，沃尔特。只有你才能保护自己。

洛伊说得对。我要听他的话，抓住爸爸的手试试。

你这小鬼!

我在芝加哥有个朋友，他邀我和他一起经营他的果冻厂。

报纸生意做得好好的，怎么突然不做了？

一辈子卖报纸能成什么气候！现在我该真正创立自己的事业了。

可是沃尔特还没毕业，洛伊又不在家，我们不能留下他一个人啊！

别担心，赫伯特已经同意回来照顾他，直到他毕业。

沃尔特既高兴又伤心，高兴的是他从此不必再辛苦送报了，而伤心的是他再也看不到报纸上那些让他朝思暮想的漫画了。

他的小故事，我的大道理

　　沃尔特全家都搬到了堪萨斯市之后，爸爸开始做报纸生意。可是开始新生活绝不是一件容易的事情，沃尔特的爸爸一直没有办法找到合适的人替他送报纸。这时沃尔特主动提出帮爸爸送报。虽然他年龄小、身体瘦弱，可是他始终坚持每天凌晨两三点就起床送报。送报让他有时会在课堂上打瞌睡，却也让他喜欢上了漫画，这让他最终走上了艺术道路。

　　有的时候，我们也可以做些力所能及的事情，去帮助爸爸妈妈，让他们不那么辛苦。

如果我是他，我会怎么办？

　　一次美术课上，老师让沃尔特和同学们在课堂上画自己想画的动物，沃尔特画了一只和人长得很像的鸭子，这让老师发现了他的想象力和创造力。你有没有过把普通的东西想象得非常奇怪的经历？你是如何和别人解释的呢？

如果我是他……

_____

_____

_____

第三章

动画片的开拓者

阅读小脚印

1. 沃尔特的父亲为什么反对他以画画为职业？
2. 沃尔特和乌布是怎么认识的？
3. 沃尔特制作的第一部影片赚了多少钱？
4. 沃尔特后来对什么仪器特别感兴趣？

沃尔特长大一些后，父亲问起他对未来生活的规划。

和我一起经营果冻厂吧！我当你是我的合伙人，利润我们父子平分。

爸爸，谢谢您这么看重我，但是我恐怕要让您失望了。我只想实现我的艺术梦想。

你还是打算一辈子涂涂抹抹啊？

沃尔特态度很明确，他很感谢父亲，但还是坚决而礼貌地拒绝了父亲。

爸爸，那是画漫画，不是涂涂抹抹。

沃尔特，你好好考虑一下。这样下去，你不仅很难糊口，还浪费了大好的青春啊！

我想去堪萨斯市，那儿有许多家报社，我可以为他们画漫画。我一定会找到工作的，您不用担心我的生计问题。

当然。一周工资40美元，试用期过后，我们会考虑给你涨薪水。

太感谢啦！太感谢啦！

沃尔特就在这个名叫普雷斯曼—鲁宾的艺术工作室开始了工作。试用期的工作很辛苦，不过他从来没有抱怨过，因为他知道自己终于有机会实现儿时的梦想了。

通过试用期的考验，公司觉得沃尔特真的是个人才，开始让他画画。

天啊，怎么也没想到，我第一次画的居然是月历上的锄头！

加油加油，迟早我会得到更好的工作。

那个……你的脚……

怎么了?

你的脚……
你的脚挪一下可以吗?

沃尔特在这里认识了乌布。后来,乌布成了他一生的合作伙伴。乌布虽然腼腆内向,但是他的艺术才华却令人惊叹。他和沃尔特一样,也特别喜欢画画。

我是沃尔特·迪士尼,是刚来的。很高兴认识你。

我知道你。
我是乌布·伊沃克斯,我也是刚来的。

你知道我?我怎么觉得我没见过你呢?

因为我很不起眼,很少有人注意我啊。你还要一直踩着我的画么?

呀,
对不起!
对不起!

为什么只解雇我一个人？广告片是大家一起合作创作的，失败了怎么能都怪我？

就是因为你的插画吸引不了消费者……

我的插画明明很好！

你忘了我们的宗旨吗？广告公司画插画，是为了刺激消费者立刻购买，这样才能提高销售率。广告不能仅用来体现你的艺术理念，因为顾客不会为你的高格调埋单。

沃尔特这时候才知道，用画画来表达自己的想法是不行的。比起失业来说，这个现实更让沃尔特沮丧。

我的梦想离我越来越远了……

沃尔特顺利地进入了堪萨斯广告公司，开始插画影片的制作，还和动画界的同行进行合作。

原来你们仍然在用传统方法制作动画啊！

传统方法？这已经是很先进的了。你看，我们先摆好木偶，拍一个固定的姿势，接着稍微变动姿势，拍下第二张照片，以此类推。一连串照片连续播放，就形成了木偶的一个动作。

当时的动画技术还很不成熟，而动画片却越来越受观众欢迎。由派特·苏利文和奥托·梅斯麦推出的《菲力猫》系列，便是借着这股热潮流行起来的。因此，广告公司也纷纷效仿，以动画形式拍摄广告。

呀！木偶就像动起来了一样！

如果加快播放速度，看起来会更生动。

这是利用了眼睛的幻觉，因为画面快速变换的时候，肉眼就无法分辨了。

沃尔特迷上了摄影机。他不仅钻研摄影机的工作原理，而且开始学习动画片的制作技术。他这时已经把兴趣从绘画延伸到了动画。每天他都仔细读这方面的书，甚至尝试自己制作动画。

现在，我完全有能力制作一部属于自己的动画片了。

沃尔特拥有惊人的艺术才华、乐观幽默的天性以及从广告公司学来的精湛技术，他已经具备了制作出优秀动画片的能力。

他的小故事，我的大道理

沃尔特和乌布的工作室关闭之后，沃尔特到了堪萨斯市的广告公司工作。在那里，他有机会接触到了动画片的制作，也能够操作真实的摄影机。他勤思考，多提问，和广告公司的前辈一起研究动画制作，晚上回到家里还大量阅读相关的书籍，渐渐地，他终于可以独自制作动画片了。

勤思考、多提问是很难得的品质，很多人都因为害怕别人嘲笑而不敢提问，实际上那是不对的。只有自己多思考，遇到不理解的问题多提问，并且认真听老师的耐心解答，才能不断进步，才能提高自己。

如果我是他，我会怎么办？

沃尔特在自己的广告插画里面充分地表达了自己的想法，却没能起到刺激顾客消费的作用。老板解雇了沃尔特，他也因此一蹶不振。这时，同样失业的乌布来找沃尔特，劝他振作起来。在学校里，如果你最好的朋友遇到了困难，你会怎样去做呢？

如果我是他……

_____

_____

_____

成功与失败交替的日子

阅读小脚印

1. 沃尔特和马克思·弗莱修的动画有什么不同？
2. 在拍摄《爱丽丝梦游仙境》的过程中，沃尔特都遇到了哪些困难？
3. 沃尔特是怎么被明茨欺骗的？

小欢乐·工作室

沃尔特一直找不到发行商，拿不到薪水的员工也纷纷离开，他的公司濒临倒闭。

我不能这样下去，动画片是有前途的，我得想想办法……

沃尔特坚信制作动画片一定会赚钱，他开始寻找新项目。可欠下的房租和工资数目越来越庞大了。就在这时，乌布找到了一个想拍动画广告的牙医诊所。

道理是没错，太烂的动画已经没有人看了。但是我们的技术还不成熟，市场也不好，不如我们一边制作广告，一边等待好时机。

不，现在正是好时候。马克思·弗莱修的动画作品带动了一股动画热潮，我们也不差啊。我们制作出来的动画片一旦成功，那房租和其他费用就都不是问题了。

弗莱修将卡通人物和真实背景结合拍摄，这样做会需要很多钱，我们没有那么多的资金。

我们必须拥有自己的技术，超过他！

在那个时代，马克思·弗莱修是最受欢迎的动画导演，他把卡通人物放在真实背景中，拍摄了新型动画片。沃尔特决定反其道而行之，在卡通的背景中放入真实演员。

弗莱修

沃尔特

在卡通的背景中放入真实演员？沃尔特，你真有才，这想法棒极了！

迪士尼选择了《爱丽丝梦游仙境》，以他独特的方式制作了一部爱丽丝喜剧，把真实的人物形象融入到动画片中。在剧中饰演爱丽丝的小女孩儿薇吉妮亚·戴维丝后来成为了好莱坞最有名的童星之一。

历尽千辛万苦，影片终于拍完了。

可是会有代理商来发行它吗？

我已经找到了一位，纽约的玛格丽特·温克勒。

这位玛格丽特·温克勒就是当时鼎鼎大名的"好莱坞史上最出色的女性影片代理商"。别看她是位女性，年轻的她已经成功发行了《菲力猫》和《墨水瓶人》。

我创造了一种新形态的动画，在卡通背景中放入了真实人物。我很有自信，只要这部动画片一上映，必定会引起一轮新的动画热潮。

你说的这种动画我非常感兴趣，也很想看看。

温克勒很感兴趣——听到这个好消息的沃尔特和乌布觉得离成功已经越来越近了。

沃尔特还是被赶出了他租的工作室，不得不将设备和器材搬回家中。

嗯……先生，我恐怕不能再跟着您了，对不起。

先生，我也得走了，很抱歉……

沃尔特没有钱来付房租和员工的薪水，员工们纷纷离职，这让影片的后期制作始终无法完成。最后，21岁的沃尔特被逼得走投无路，只好宣告破产。

第二年夏天，沃尔特依然没有攒够钱去完成爱丽丝影片的制作，他以40美元的价格卖掉了心爱的摄影机，去加州投靠洛伊。

洛伊的话给了沃尔特勇气，他决心振作起来。在洛伊的帮助下，沃尔特去了洛杉矶，在舅舅的车库里成立了自己的工作室。

咦？你也是自己一个人为了生计而奋斗？

吱吱……

以后常到我这儿来，我会给你东西吃的。

沃尔特在破旧的车库里，依然全神贯注地创作他的"爱丽丝"系列。每天，这只小老鼠都来陪伴沃尔特，因此沃尔特并不孤单。

沃尔特终于完成了"爱丽丝"系列的制作，并且寄给了玛格丽特·温克勒。温克勒也表示，她很看好这一系列影片。

我代理过许多部影片，我觉得你的影片一定会成功。但一些细节必须改进，这一系列影片需要保持风格和基调的统一，并且每部我们会给你1500美元作为预付金。

虽然得到了温克勒的支持，但沃尔特在设备和人员方面都还有欠缺。尤其是演员方面，在第一部中饰演爱丽丝的戴维丝早已回到了堪萨斯市，沃尔特费尽周折才说服戴维丝的父母答应女儿继续演出。

温克勒的预付金还是不足以支撑影片的拍摄。洛伊为了节省开支，没等疗程结束就出院了。他想尽办法筹钱租办公室，连日常开销都缩减了。

忙了一天，一定累坏了。快吃点儿饭吧。

1924年3月，"爱丽丝"系列影片在新泽西州、宾夕法尼亚州、马里兰州和首府华盛顿的各大影院同时上映，反响强烈。观众纷纷要求拍摄续集，所以沃尔特邀请"小欢乐"的老员工和好朋友乌布回来协助他。

沃尔特将公司名称改为沃尔特·迪士尼制片厂。同年夏天，他娶了自己的助理莉莲·邦兹。

几年后，"爱丽丝"热潮退去了。观众们不再喜欢老套的故事和乏味的情节。

我差点儿就睡着了。

一点新意都没有。

这时候，玛格丽特·温克勒结婚了，她把所有的影片代理业务都交给了丈夫查尔斯·明茨。明茨跟沃尔特商量制作新的动画。

"爱丽丝"系列已经没有市场了，现在是我们制作新影片的时候了。

我也是这么想的。

有什么思路吗？

凭我们现在的实力，设计出一个新形象，想达到预期的效果应该不难。

我想构思一部和"爱丽丝"系列不同的影片，不以人类为主角。什么动物更适合做影片的主角呢？

兔子怎么样？

嗯，想法很好。接下来，我们加油干吧。

于是，《幸运兔子奥斯华》诞生了。这部影片成为了动画史上公认的推动动画产业向前发展的作品。沃尔特扩大了迪士尼制片厂的规模，每年生产十多部影片，年净利润超过5000美元。

《幸运兔子奥斯华》票房大卖，明茨却开始克扣付给沃尔特的费用，从每部2250美元减为1800美元。他还在账簿上做手脚，欺骗沃尔特。沃尔特发现之后，立即到纽约当面质问明茨。

公司除了发行奥斯华，还有很多别的影片，又不能把所有资金都给你。

怎么能这么说？其他的影片基本都不赚钱，而奥斯华带给你的利润相当于你过去几年的收益。

不好意思，我只能做到这样……

那很抱歉，咱们的合约到这里就终止了。好多代理商都抢着发行奥斯华这部影片呢。

沃尔特啊，你当我和你一样笨啊？这么告诉你吧，如果你不把奥斯华的发行权交给我，我也绝对不会让其他代理商得到的！

他的小故事，我的大道理

　　沃尔特的《幸运兔子奥斯华》一上映就得到了大家的喜爱，可是温克勒的丈夫明茨却在暗地里动手脚，图谋抢走《幸运兔子奥斯华》的版权。沃尔特闻讯之后毫不示弱，立即前往纽约找到明茨理论，为自己和伙伴们的辛苦劳动讨回公道。虽然最后影片的版权和公司的大部分员工都被明茨恶意地抢夺走了，然而沃尔特的这种做法还是得到了大部分人的认同。

　　面对恶势力和图谋不轨的人，一定不能害怕他们，要在力所能及的范围内，争取自己的合理权利和报酬。如果自己的能力不够，还可以找老师和家长来帮助自己，绝不能向恶势力低头。

如果我是他，我会怎么办？

　　虽然倾尽全力完成了动画片，但是由于找不到发行商，沃尔特的工作室濒临破产。乌布好不容易筹到了一笔钱，解决了租金和员工的工资问题，但是沃尔特认为应该重新成立工作室，制作新的动画片。乌布认为这种做法太冒险了，可是沃尔特却执著地认为应该这样做。小朋友，如果遇到自己认为可行而其他人都反对的事情，你会怎么做？

如果我是他……
_____
_____

第五章

米老鼠诞生

阅读小脚印

1. 米老鼠是怎么诞生的？
2. 沃尔特是怎么制造人撞上栏杆的声音的？
3. 沃尔特第一次制作的有声动画的名字叫什么？

沃尔特并没有被这件事击倒。既然奥斯华没有了，他必须尽快创作出新的角色和影片。

终于摆脱明茨那个卑鄙小人了。没错！幸好我尽早认清了他的真面目。

坐火车回堪萨斯的路上，沃尔特开始构思下一个角色。

你说画老鼠？谁喜欢老鼠啊！

嗯，我们新的主角就是老鼠。人们不是不喜欢老鼠，只是没看到足够可爱的老鼠。我们既然要画，那就先近距离观察老鼠吧。

近距离观察老鼠？行得通吗？

行得通啊，我们可以让一些老鼠来公司呀。

沃尔特在公司的角落里撒下奶酪块来吸引老鼠。

晚上，老鼠们闻到奶酪的香味，纷纷窜了进来。

太好了！

一段时间后，沃尔特终于完成了"米老鼠"系列动画片的第一部——《疯狂的飞机》，他信心满满地邀请一些人来观看。

米老鼠开飞机，飞呀飞呀飞。

可是观众并不喜欢这部动画片，代理商也不愿发行它。

就这种东西也好意思邀请我来看？

无声电影没有声音，只有字幕。沃尔特在看了第一部有声电影《爵士乐歌手》后，当即决定制作有声动画。但凭他们现有的技术，制作起来相当困难。

现在的有声电影都将动作和配音两部分分开，可是，如果画面突然停止，或声音播放出了故障，有声电影也将失去声音存在的意义。

是的，那样还不如无声电影。沃尔特，有声电影不是那么容易做的，你真的想好了吗？想做有声动画电影？

咱们可以把配音直接录在影片上！把声音效果做好了，动画也就会更生动、更有生命力，也更能吸引观众了。

把声音直接录在影片上，确实是能够避免画面或声音方面的问题。但这实现起来相当困难啊！可别又白花了钱，现在咱们可经不起折腾了。

洛伊，咱们不会失败的。"有声动画"这样新奇的礼物，一定会给观众一个惊喜的。

有了!

沃尔特研究了好几天，终于受到了节拍器的启发，发明了一种使影像和配音能完美结合的仪器。这种技术后来风靡动画界，人们都亲切地称这项发明为"米老鼠式配乐"。

这一次，沃尔特没有冒险，他只邀请了制作动画的人员和家属来参加"米老鼠"的试映会。

播放动画片的同时，沃尔特让员工跟随着画面的变化用乐器和工具来配上不同的声音，沃尔特又将这些声音转化成音符。加上了配音以后，影片受欢迎的程度明显提高了。

然后，再把配音录到影片上，就大功告成了！

沃尔特到纽约寻找最好的录音公司，希望他们能录出最好的效果。

您也不能保证效果，是吗？

嗯，说实话，我们之前没有为动画片录过音……试试看吧，不成功就多录几次。

谢谢您，请您尽力。

刚开始，影像和配音还是无法完美地结合，但经过多次的修正，沃尔特总算是满意了。

沃尔特举办了《蒸汽船威利》的试映会，观众们看到画面和声音的结合惊喜万分。会说话的米老鼠一出场，几乎就博得了所有人的喜爱。

太神奇了！

哇！老鼠也会说话！

没想到米老鼠居然会跟着音乐跳舞，还跳得那么棒！

《蒸汽船威利》票房大卖！有声动画片一时间成了媒体纷纷评论报道的对象。这部动画片的成功让那些原本不看好动画片的人改变了态度。很多制片公司也借着这股热潮，跟风模仿。

经过多年的努力，沃尔特·迪士尼终于名利双收了。

他的小故事，我的大道理

《蒸汽船威利》是沃尔特和洛伊、乌布一起制作出来的第一部有声动画片。这部动画片得到了观众们的喜爱，专家们也都认为这部影片成为了推动动画产业发展的重要作品，媒体也纷纷大篇幅地报道沃尔特的影片。这时，沃尔特·迪士尼名利双收，但他并没有躺在功劳簿上睡大觉，而是继续研究如何能做出大家更喜欢的动画片，这才让他最后成为了历史上无人可超越的动画制作人。

"胜不骄，败不馁"是中国的一句俗语，是告诫人们在成功的时候不要骄傲，在失败的时候也不要灰心丧气。

如果我是他，我会怎么办？

沃尔特费劲心思去观察老鼠，并成功地绘制了米老鼠的原型，制作了米老鼠卡通系列的第一部动画片——《疯狂的飞机》。可是它的市场表现并不好，不仅代理商不准备代理该片的发行权，观众的反响也不高。如果你辛辛苦苦做了一件事情，而大家却不看好，你会怎么办？

如果我是他……

_____

_____

第六章

获得奥斯卡大奖

阅读小脚印

1. 沃尔特为什么要放弃《花与树》的黑白版?
2. 《花与树》让沃尔特得到了什么奖项?
3. 沃尔特的第一部卡通长片的名字叫什么?
4. 是什么原因导致迪士尼公司的电影无法在欧洲上映?

有声电影刚刚取代无声电影,电影业又产生了新的变革——彩色影片逐渐兴起,黑白影片渐渐被淘汰。

沃尔特当然不想被落下。

不要为眼前这点损失而纠结，只要彩色版的《花与树》上映，我们会赚到数不完的钱。我敢打赌，彩色动画的反响会比有声动画好得多。

沃尔特·迪士尼异常坚决。员工们知道，只要沃尔特认准的事，就一定会做到底。即使不认同，也只有服从。

不久后，迪士尼的第一部彩色有声动画片——《花与树》上映了。

第二年，迪士尼公司出品了《三只小猪》，小猪的形象成为了迪士尼卡通注册商标之一。这部动画片被外界认为是迪士尼公司有史以来最佳的动画片。沃尔特还得到了偶像卓别林的赞许。对自己要求近乎苛刻的沃尔特，也承认这是一部令他满意的作品。

我们的制作技术还可以提高，这需要更多的人才加入。我们必须寻找新人，并且让他们学习最先进的技术……

稍微放松懈怠，我们就可能落后于人，我不能让辛苦创建的公司垮掉……我相信有许多和我一样热爱动画的年轻人，因为世俗的偏见被迫放弃了梦想。要是给他们施展才华的机会……对啊！我们可以成立学院，专门培养动画人才。

迪士尼公司成立了动画学院，传授给学员最新的动画技术，大量储备人才。

沃尔特在课堂上放映动画片，让学员观赏、讨论、发表意见。他一边培训学员，一边继续思考如何才能制作出更新奇的动画片。

最近又有好多新的动画公司成立了，咱们必须想办法应对！

暂时我还没想到好办法，不过我想制作剧情长片。

同年冬天，迪士尼公司开始了第一部长片——《白雪公主》的拍摄。沃尔特四处寻找适合扮演白雪公主的17岁女孩儿。

一年过后，影片仍然没能杀青。项目的启动资金也用完了，沃尔特只好又去四处筹款，但是很多人不仅不愿投资给他，反而百般嘲笑他。

听说他已经烧掉17万美元了，结果什么都没做出来。

那个疯子！也只有像他这种傻瓜，才会砸钱做小孩儿才看的动画片，哼！

1937年12月，拍摄了三年的第一部动画长片——《白雪公主》终于上映了。

沃尔特·迪士尼 作品

白雪公主

《白雪公主》一炮而红，迅速获得了市场认可和观众好评，媒体也大加称赞。

沃尔特·迪士尼
天才动画导演
史上最酷电影

纽约电影院连续一个月都在播放《白雪公主》，其他的影院也持续热映。不仅动画片流行，连带着片中的主题曲、配乐也开始畅销。

真棒，我看了好多遍，还是觉得不过瘾。

配乐也那么好听！

《白雪公主》是部划时代的动画片，很快就发行至欧洲甚至世界各地。沃尔特此后制作的动画片都受到称赞，他建立了拥有五百多名员工的新制片厂。沃尔特·迪士尼制片厂也成为当时全美最负盛名的制片公司。

沃尔特·迪士尼制片厂

全部被取消了！订金、广告费用和我们前期的成本都泡汤了！

噢，真糟糕！

第二次世界大战使得欧洲硝烟弥漫，迪士尼公司又陷入了财务危机，员工们领不到薪水，于是开始示威罢工。

还我血汗钱

强烈要求支付工资！

沃尔特……

洛伊，我们现在怎么办？

沃尔特无奈之下只好答应员工提出的条件。员工们组织了工会，要求得到更多的福利保障。沃尔特的财务状况更糟糕了。

我以后不会再把他们当成家人了，我要用公司的制度严格管理他们。

几年后，世界大战终于结束了。

沉寂了一段时间的沃尔特，又恢复了以往的活力。这次，他开始制作纪录片。

他的小故事，我的大道理

在黑白版的《花与树》已经完成了大部分制作的时候，沃尔特提出"制作彩色动画片"的公司发展方向。可是如果那样，大量的前期制作成本就白白浪费了。员工们纷纷建议沃尔特保留黑白版的《花与树》，而沃尔特没有听员工们的劝说，毅然决定紧跟时代步伐，推陈出新，制作彩色动画片。正是这部彩色有声动画——《花与树》让沃尔特在1932年获得了奥斯卡金像奖，成为了历史上第一位获得奥斯卡金像奖的动画片导演。

适时作出取舍，才有一番成就。如果不肯抛弃旧有的思想与观念，就无法做出更新、更好的东西。

如果我是他，我会怎么办？

同年冬天，迪士尼公司开始了第一部长片——《白雪公主》的拍摄。沃尔特四处寻找适合扮演白雪公主的17岁女孩儿。

一年过后，影片仍然没能杀青。项目的启动资金也用完了，沃尔特只好又去四处筹款，但是很多人不仅不愿投资给他，反而百般嘲笑他。

听说他已经烧掉17万美元了，结果什么都没做出来。

那个疯子！也只有像他这种傻瓜，才会砸钱做小孩儿看的动画片，哼！

沃尔特耗费了大量的资金来拍摄动画长片《白雪公主》，可却遭到了许多人的讥讽与嘲笑，甚至还有一些人打赌，说他的这个制作一定赔钱。你有没有遭到过其他人的嘲笑和讥讽，这个时候你都是怎么做的呢？

如果我是他……

_____

_____

_____

第七章

我们的迪士尼乐园

阅读小脚印

1. 沃尔特的新点子是什么？你能不能数一下在本书中，他有过多少个新点子？
2. 沃尔特为什么要建造迪士尼乐园？他成功了吗？
3. 沃尔特实现梦想的过程给了你什么启发？

不断创新的沃尔特，又冒出了新的想法。

如果人们能如愿地畅游在动画世界里，该多好呀！我们之前是把现实画成动画，现在同样可以把动画变为现实啊！我要把我创造过的卡通形象现实化，让他们生活在一个乐园中，人们可以看到真实的卡通形象和他们生活的地方。

就这么办！建立一座独一无二的新主题乐园。

他召集公司骨干，研究这座与众不同的新概念乐园。

又来了！不知道这次是什么事，老板每次开会，我都紧张！

嘘，来了来了！

我要创造一个梦幻国度，我们曾经设计出的所有卡通形象将共同生活在这里！我想让所有喜欢动画片的观众们，能够真实地进入到动画场景当中，与我们的卡通人物交流和互动。

老板，建造乐园？我们原来是做动画的，这些与我们毫不相干啊。

沃尔特为了建造他理想中的主题乐园而成立了新的公司，同时把出色的动画制作人和技师聚在一起，将"动画"和"空间"的概念组合起来，为新的游乐园命名为"迪士尼乐园"。

虽然说我们没有建造游乐园的专业知识和经验，但这并不是问题！因为，我们要建造的是一个与所有普通游乐园都不同的全新的主题公园。

工程师们对美国乃至全世界的游乐园都进行了调查，在研究后，终于制造了微缩的游乐园景观。

我们的迪士尼乐园和普通的游乐园是不同的，我们要把动画片里的情节融入到每一个空间里。你们要重新创造。

老板的意思是我们要创造出新的东西，其他游乐园里现存的东西对我们没有借鉴意义。

可是……

我们要创造的是更加生动的景观。

1955年7月，集梦幻、神奇、探险于一体的迪士尼乐园，终于在万众瞩目下开园了！

迪士尼乐园以瑞士的名山为蓝图设计山峰，使游客与童话中的爱丽丝一起进入了梦幻的世界。这座超级乐园耗资1700万美元，每天需要2500名工人维护。整个乐园分成多个不同的主题园区，"边疆乐园"以美国西部景观为主题，再现西部牛仔、蒸汽船、淘金等景象。游客途经睡美人城堡，进入"奇幻世界"，会遇见梦游仙境的爱丽丝、小飞象、小飞侠彼得·潘等迪士尼卡通人物。在"明日世界"园区里，游客还可以自导自演，制作科幻影片。

开幕典礼邀请了15000名来宾，但是当天却有3万多名游客涌入园中，超过了当时迪士尼乐园的负荷能力。由于乐园名声大，假入场券满天飞。乐园周边的交通完全瘫痪，堵得水泄不通。考虑到乐园情况的管理者迟迟不敢开放大门，许多心急的游客干脆爬墙进入，还有那些黄牛党翻墙进园，大卖假票。

不堪重负的乐园因此险象环生。园区开放没多久，便垃圾遍地，脏乱不堪。等着玩游戏的人排起了长龙，一些设施因过度使用而发生故障。园内饮用水严重不足，电力也供应不足，完全没有了秩序！

终于，迪士尼乐园再度开放。游客们闻讯赶来，仅一周时间，新开放的迪士尼乐园就接待了161657名游客。两年后，平均每年的客流量都超过一百万人次，而其中大部分是成年游客。

现在，开幕典礼即将开始。

开幕典礼举行那天，人们从四面八方赶来，多家电视台派出了记者进行现场直播。

沃尔特·迪士尼缓步上台，开始致辞。

欢迎各位来到迪士尼乐园，这是一个能让所有人尽情游乐的梦幻乐园。

在这里，大人们可以重温儿时旧梦，孩子们可以制造梦想。

我们代表了美国的建国精神，让人人有梦想，并且敢于实现梦想……

和美国建国精神一样，迪士尼乐园给全世界人们带来了欢笑与快乐。

啪！啪！啪！

沃尔特·迪士尼真的成功了。一座又一座迪士尼乐园在东京、香港、奥兰多、佛罗里达和巴黎陆续开幕。在乐园中，大人们可以暂时忘记现实的烦恼，找回童年的感觉；儿童也可以无忧无虑，沉浸在梦幻世界中。

忙碌了这么久，沃尔特发现自己的身体日渐不适，但他一直不肯就医，担心病痛影响他的工作。

腿怎么又开始疼了。

后来，病痛实在是无法隐瞒了，连妻子莉莲都发现了沃尔特的不适。沃尔特只好在妻子的陪同下就医。

检验结果是肺癌晚期。

这个消息如同晴天霹雳。

沃尔特！

1966年12月15日，沃尔特·迪士尼因肺癌去世，终年65岁。

噩耗传来，迪士尼公司的员工悲痛不已。他们停下了手头的工作，向这位大师级人物默哀致敬。公司发言人表示，迪士尼公司恐怕再也找不到像沃尔特一样的领导人了。全世界的人们都为失去了这位带给他们无限欢乐与梦想的人物而痛心。

《纽约时报》这样评价：迪士尼充满温馨与童趣的艺术风格，很好地诠释了美国精神。该报推崇迪士尼所创造的个人文化资产，并称其为旷世巨作，无人可及。沃尔特死后，迪士尼公司发行的《森林的故事》也受到了追捧，观众们以这种方式来纪念这位传奇人物。

沃尔特·迪士尼
与世长辞
全球儿童心碎

沃尔特·迪士尼一生共荣获29次奥斯卡奖、4次艾美奖，此外还获得了总统自由勋章、荣誉奖章和其他七百多种奖项及荣誉。迪士尼公司在沃尔特逝世后，保持了优良传统，不断推出优秀的动画片，如《小美人鱼》《美女与野兽》等。2006年，迪士尼收购了皮克斯公司，继续制作动画电影，如《汽车总动员》《料理鼠王》和《飞屋环游记》等，这些动画都受到了观众们的喜爱。

从一个只怀有绘画梦想和一腔热情的男孩儿，到好莱坞出类拔萃的艺术家，沃尔特凭着绘画才能、超凡的想象力和坚定的信念，一步步迈向成功。他不断创新技术，创造了米老鼠、唐老鸭和其他无数天真可爱的卡通形象，给人们带来欢笑与快乐。沃尔特·迪士尼的经历告诉我们，只要怀有希望，再遥远的梦想，也终会有实现的一天。

沃尔特·迪士尼大事记

附录

1901年	12月5日，沃尔特·迪士尼在芝加哥出生。
1905年	迪士尼一家人搬到密苏里州的玛瑟琳镇仙鹤农场。
1910年	迁居到堪萨斯市，帮助爸爸送报。
1920年	在堪萨斯市的一个公司里工作，并学习动画片制作。
1922年	独自制作了1分钟时长的动画短片。
1923年	制作"爱丽丝"系列动画片。
1925年	与助理莉莲·邦兹结婚。
1928年	第一部有声动画《蒸汽船威利》首映。
1931年	决定开始制作彩色动画。
1932年	第一部彩色动画《花与树》获得奥斯卡大奖。
1933年	动画片《三只小猪》上映。同年，女儿黛安·玛丽·迪士尼出生。

1937年	第一部动画长片《白雪公主》上映。
1939年	奥斯卡委员会为奖励沃尔特·迪士尼对动画事业的发展作出的贡献，授予他奥斯卡特别奖。
1943年	为政府承担宣传电影和教育电影的制作工作。
1950年	长篇动画《仙履奇缘》和电影《金银岛》上映。
1954年	电视节目《迪士尼乐园》（Disneyland）开始在 ABC (美国广播公司) 播出。
1955年	美国迪士尼乐园开业，同年TV系列《米老鼠与唐老鸭》放映。
1962年	由迪士尼公司策划建立的加利福尼亚艺术学院成立。
1964年	参加纽约世界博览会。同年，电影《欢乐满人间》完成。
1966年	12月15日，因肺癌去世。

亲爱的小朋友们，你们好！

大家都读完了"我的第一本名人传记漫画书"中那些名人的故事了吧？还记得书里面的情节吗？

也许有许多你记得特别深刻的故事呢！

看完这些名人的故事之后，适当地休息一下也是很有必要的。不知不觉中，你会觉得他们就在我们身边呢！

现在大家拿出铅笔，整理一下思绪，试着先做关于沃尔特·迪士尼的练习，再回答后面的问题，看看我们有没有把迪士尼和那些名人的故事都记住吧！如果没有回答上来，可以翻翻他们的书，试试找到正确的答案！

都准备好了吗？那么开始喽~

练习一：回忆你记得的小·故事吧~

　　小朋友们，沃尔特·迪士尼的哪些故事给你留下了深刻的印象呢？

　　也许你会说都很深刻。挑出你认为最深刻、最能感染你的一些故事说一说。

播撒欢乐的动画大师
沃尔特·迪士尼

我记得的故事一

读过书之后，是不是觉得沃尔特·迪士尼离自己更近了？下面我们综合思考一下这本书的背景知识和相关内容，练习一下综合运用。

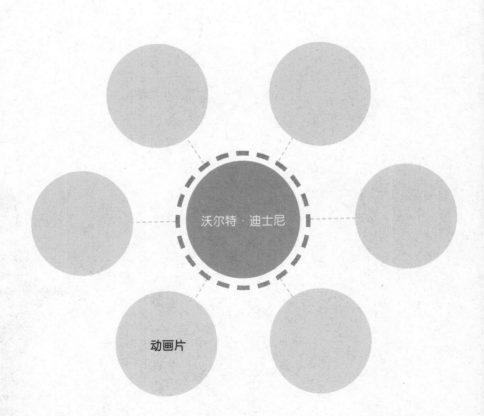

沃尔特·迪士尼

动画片

现在我们找一下自己和沃尔特·迪士尼的共同点。回想一下自己和沃尔特·迪士尼相关的经历。小朋友们和沃尔特·迪士尼有什么共同点呢?

喜欢小动物

我和
沃尔特·迪士尼
的共同点

互动一：沃尔特·迪士尼的故事

下面的四个选项只有一个是正确答案哦~

小朋友们要想好了再作答！

1. 迪士尼有几个哥哥？

A.1个　　　B.2个　　　C.3个　　　D.4个

2. 来到堪萨斯市以后，迪士尼和哥哥每天早上帮爸爸送什么？

A.牛奶　　　B.报纸　　　C.资料　　　D.车票

3. 迪士尼制作的第一部有声动画叫什么？

A.《蒸汽船威利》　　　B.《爱丽丝梦游仙境》

C.《花与树》　　　D.《白雪公主》

4. 1932年让迪士尼获得奥斯卡金像奖的是哪部动画片？

A.《蒸汽船威利》　　　B.《爱丽丝梦游仙境》

C.《花与树》　　　D.《白雪公主》

5. 下面哪部作品不是迪士尼参与制作的？

A.《三只小猪》　　　B.《疯狂的飞机》

C.《幸运兔子奥斯华》　　　D.《菲力猫》

互动二：希拉里·克林顿的故事

下面的四个选项只有一个是正确答案哦~

小朋友们要想好了再作答！

1．希拉里·克林顿小时候的梦想是成为：

A.宇航员　　　B.演说家　　　C.演员　　　D.科学家

2．希拉里在社会大课堂认识了一个牧师，这个牧师的名字是：

A.保罗·卡森　　　　B.玛丽安·莱特·艾德曼

C.唐·琼斯　　　　　D.马丁·路德·金

3．希拉里的老师送了她一本书，叫《一个保守派的良心》，看过书后，希拉里去帮助作者戈德华特拉票，当时希拉里支持的政党是：

A.民主党　　　B.共和党　　　C.自由党　　　D.改革党

4．有一个人的演讲让希拉里很受启发，希拉里也一直很尊重他；在希拉里读大学的时候，他遇刺身亡，他的名字是：

A.保罗·卡森　　　B.马丁·路德·金　　　C.唐·琼斯　　　D.戈德华特

5．在与奥巴马竞选的过程中，希拉里出色的能力得到了奥巴马的认可；在奥巴马就任总统后，让她担任什么职务？

A.副总统　　　B.参议院院长　　　C.国务卿　　　D.教育部长

互动三：史蒂芬·霍金的故事

下面的四个选项只有一个是正确答案哦~
小朋友们要想好了再作答!

1．由于霍金一家吃晚饭时有一个独特的习惯，他们家得到了一个什么样的"外号"？

A.大餐家族　　　B.书呆子家族　　　C.肥胖家族　　　D.土豆汤家族

2．由于霍金迷上了研究机械玩具的原理，他把弟弟的什么东西给拆开了？

A.小火车　　　B．小飞机　　　C.小汽车　　　D.小坦克

3．霍金是在哪一年高中毕业，升入牛津大学的？

A.1960　　　B.1969　　　C.1959　　　D.1950

4．霍金进入剑桥大学研究院读书后，最后由谁做他的导师？

A.罗杰·彭罗斯　　　B.巴泽尔·金

C.珍·怀尔德　　　D.丹尼斯·塞亚玛

5．下面哪部作品是霍金的著作？

A.《相对论》　　　B.《物种起源》

C.《时间简史》　　　D.《显微图谱》

互动四：史蒂芬·斯皮尔伯格的故事

下面的四个选项只有一个是正确答案哦~

小朋友们要想好了再作答！

1．一部电影的制作需要很多人的参与，指导剧本、指挥摄影现场的人是谁?

A.导演　　　B.编剧　　　C.制片　　　D.剧务

2．《夺宝奇兵》是斯皮尔伯格和哪位大导演合作的？

A.乔治·卢卡斯　　　B.詹姆斯·卡梅隆

C.蒂姆·伯顿　　　D.迈克尔·贝

3．斯皮尔伯格一共获得了几次奥斯卡最佳导演奖？

A.一次　　　B.两次　　　C.三次　　　D.四次

4．下列哪部影片不是斯皮尔伯格拍摄的？

A.《大白鲨》　　　B.《E.T.》　　　C.《侏罗纪公园》　　　D.《2012》

5．下列哪项不是斯皮尔伯格成为国际导演的成功秘诀？

A.想象力　　　B.好奇心

C.敢于冒险的精神　　　D.运气

互动五：奥普拉·温弗瑞的故事

下面的四个选项只有一个是正确答案哦~

小朋友们要想好了再作答！

1．在奥普拉小时候，是谁在科修斯科镇替母亲照顾奥普拉？

A.奥普拉的爸爸　　　B.奥普拉的奶奶

C.奥普拉的外婆　　　D.奥普拉的老师

2．奥普拉从小到大一直喜欢一件事，她喜欢做什么？

A.读书　　　B.看电视　　　C.画小动物　　　D.吃冰淇淋

3．奥普拉被电台推荐参加了一场比赛并获得了冠军，是什么比赛？

A.辩论大赛　　　B.模特大赛　　　C.选美大赛　　　D.知识竞赛

4．奥普拉在田纳西州立大学主修的是什么课程？

A.演讲和戏剧专业　　　B.广播电视专业

C.影视表演专业　　　D.图书馆专业

5．奥普拉在哪一档节目中充分发挥了自己的优势，获得巨大的成功？

A.T台秀　　　B.创意秀　　　C.时尚秀　　　D.脱口秀

互动六：亚伯拉罕·林肯的故事

下面的四个选项只有一个是正确答案哦~

小朋友们要想好了再作答！

1．林肯在就任总统之前，接受的正规教育的时间有多久？

A.1年多　　　B.不到1年　　　C.2年　　　D.3年

2．妈妈去世之前，送给林肯一本什么书？

A.《华盛顿的一生》　　　B.《圣经》

C.《杰斐逊传》　　　D.《本杰明·富兰克林》

3．克劳福德先生为什么要送给林肯一本书？

A.因为林肯把书弄湿了　　　B.因为林肯替他干活儿了

C.因为林肯的诚实　　　D.因为他不想要了

4．林肯用什么方式向广大选民传递了自己的政治主张？

A.举行造势宣传活动　　　B.举办大型竞选演说

C.与选民近距离接触　　　D.派发宣传单

5．"人类生而平等"这句话出自哪里？

A.《解放奴隶宣言》　　B.《密苏里协议》　　C.《圣经》　　D.《独立宣言》

互动七：托马斯·爱迪生的故事

下面的四个选项只有一个是正确答案哦~
小朋友们要想好了再作答！

1．爱迪生几岁时，看见鸭妈妈孵小鸭，就想亲自试试？

A.5岁　　　B.7岁　　　C.6岁　　　D.8岁

2．爱迪生发行的第一份报纸叫什么名字？

A.《伦敦时报》　　　B.《新闻一周》

C.《泰晤士报》　　　D.《环球时报》

3．下列哪本书的内容是介绍物理、电力和其他相关内容的？

A.《罗马帝国衰亡史》　　　B.《电学原理》

C.《自然科学与实验科学入门》　　　D.《物种起源》

4．爱迪生的第一项发明被人认为毫无用处，他因此受到了很大打击，但他并没有放弃，而是立志要发明出什么？

A.股票行情显示器　　　B.既方便又实用的东西

C.国会议员喜欢的东西　　　D.基金行情显示器

5.下面哪些东西不是爱迪生发明的？

A.电话　　　B.留声机　　　C.灯泡　　　D.电影摄像机

互动八：**史蒂夫·乔布斯的故事**

下面的四个选项只有一个是正确答案哦~
小朋友们要想好了再作答！

1．乔布斯小的时候，对什么事情特别感兴趣？

A.读书学习　　　B.听音乐　　　C.摆弄电子设备　　　D.去游乐场玩

2．乔布斯在大学里，对什么方面的课程产生了兴趣？

A.电影赏析　　　B.中国功夫　　　C.电脑软件　　　D.东方哲学

3．乔布斯休学后，如何找到了第一份工作？

A.毛遂自荐　　　B.经人介绍　　　C.父母帮忙　　　D.投递简历

4．下列哪部动画片是皮克斯工作室制作的？

A.《怪物史莱克》　　　B.《玩具总动员》

C.《花木兰》　　　D.《唐老鸭和米老鼠》

5.乔布斯重返苹果后，承诺担任临时CEO，当时他想要的年薪是多少？

A.5000万美元　　　B.200万美元　　　C.10美元　　　D.1美元

《我的第一本名人传记漫画书》
不得不选的三大理由

这是一套培养孩子阅读兴趣的好书，也是一套保护孩子梦想和创造力的好书！

《好妈妈胜过好老师》作者
著名教育专家
成功的好妈妈
尹建莉 倾情推荐

这是一套让孩子敢于梦想的书

这里的每一个名人小时候都是和我们一样平凡的人，他们的资质和家境甚至还不如我们。他们之所以能成功，正是因为他们从小就有梦想，并且在成长过程中保护了自己的梦想，同时为之付出了一生的努力。真诚希望阅读这套书的小朋友，都能拥有一个属于自己的"梦想"。

这是一套让老师喜欢的课外读物

书中每章设有"阅读小脚印""他的小故事，我的大道理""如果我是他，我会怎么办"三个栏目，从启发思考、培养阅读能力、学习名人优秀品质、提高解决问题的能力入手，全面引导孩子阅读本书。

这是一套让家长放心、可以亲子阅读的漫画书

"漫阅读"已经成为一种潮流，中国教育部最新的新课标小学语文培训，已经明确提出带领孩子们进入读图时代、学会非连续性阅读的最新理念。和孩子一起来读这套内容积极向上的漫画书吧！